Aimer, c'est tout donner

© Association Édition «La Vie Consacrée» 2015
www.vieconsacree.com

© Éditions Saint-Augustin 2015
www.staugustin.ch

NOVALIS

4475, rue Frontenac Montréal (Québec) H2H 2S2 Canada
C.P. 11050, succursale Centre-ville, Montréal (Québec) H3C 4Y6 Canada
Tél: 514 278-3025 - 1 800 668-2547
sac@novalis.ca - novalis.ca

ISBN 978-2-89688-183-3

www.saintaugustin.ch

Aimer, c'est tout donner

Ils ont consacré leur vie
à Jésus-Christ au service
de leurs frères et sœurs.

Ils témoignent.

Table des matières

HYMNE
À LA JOIE

Message du pape François

Je voulais vous dire un mot, et ce mot, c'est la joie.

C'est cela la beauté de la consécration: c'est la joie, la joie... Il n'y a pas de sainteté dans la tristesse.

La joie n'est pas un ornement inutile, elle est exigence et fondement de la vie humaine. Dans les soucis quotidiens, chaque homme et chaque femme aspire de tout son être à atteindre la joie et à y demeurer.

Dans le monde, il y a souvent un déficit de joie. Nous ne sommes pas appelés à accomplir des gestes épiques ni à proclamer des paroles retentissantes mais à témoigner de la joie qui vient de la certitude de se sentir aimés, de la confiance d'être sauvés.

En nous appelant, Dieu nous dit: «Tu es important pour moi, je t'aime, je compte sur toi.» Jésus dit ceci à chacun de nous ! C'est de là que naît la joie ! La joie du moment où Jésus m'a regardé. Comprendre et sentir cela est le secret de notre joie. Se sentir aimé de Dieu, sentir que pour Lui nous ne sommes pas des numéros mais des personnes ; et sentir que c'est Lui qui nous appelle.

Celui qui met le Christ au centre de sa vie se décentre ! Plus tu t'unis à Jésus et Lui devient le centre de ta vie, plus Lui te fait sortir de toi-même, te décentre et t'ouvre aux autres. Nous ne sommes pas au centre, nous sommes, pour ainsi dire, « déplacés », nous sommes au service du Christ et de l'Église. Celui qui a rencontré le Seigneur et le suit avec fidélité est un messager de la joie.

Francesco

HYMNE À L'ESPÉRANCE

Père Albert Longchamp, jésuite

«Je ne crains pas Dieu, je crains son absence.»

Ces paroles d'un inconnu, au fond d'une église, restent fixées dans ma mémoire. Aujourd'hui, après un demi-siècle de vie au sein de la Compagnie de Jésus, j'ose affirmer sans orgueil que la «vie consacrée», sous ses formes les plus variées, est la protectrice de la foi chrétienne au sein de la société profane. Des religieuses, des religieux, de toutes les couleurs et ancrés dans les spiritualités les plus variées, témoignent de leur désir intense d'assumer l'histoire humaine au cœur même de notre foi.

Ces pages vous surprendront peut-être. Elles évoquent les récits de femmes et d'hommes qui ont «osé» s'offrir, par amour, à la cause de l'humanité et de l'Évangile. Tout quitter, y compris une brillante carrière ou un grand amour, n'a rien de banal. Une vie de couvent, de communauté permanente, avec les limites et les faiblesses de tous les caractères possibles, c'est prendre des risques ! Mais c'est aussi entrer dans la radicalité de la mission proposée par Jésus à ses premiers compagnons. Dieu sait qu'ils connurent de lourdes défaillances ! Au point d'abandonner le Christ à la Croix ! Peur et trahisons, c'est l'humanité. Marie, au pied de la croix, devait en porter toute la douleur.

Mais, à l'aube de la chrétienté, l'apôtre Paul, prenant conscience de sa propre défaillance, a su nous transmettre la force de sa conversion : «Ce n'est plus moi qui vis, c'est le Christ qui vit en moi.» (Ga 2 20). L'«exode» de soi-même, c'est «se mettre sur un chemin d'adoration et de service», ainsi que le soulignait le pape François, au tout début de son pontificat, le 3 mai 2013, à un auditoire de religieuses.

La tradition a retenu les trois mots-clés qui constituent l'état de vie d'une communauté religieuse : pauvreté, chasteté, obéissance. Dans les pages qui suivent, plus de quatre-vingts femmes et hommes consacrés nous offrent leur témoignage. L'une d'entre elles – je pourrais toutes les citer ! – résume sa joyeuse vocation. La vie consacrée, à ses yeux, «c'est la vie qui, à la suite d'un appel de Dieu, laisse l'Esprit saint la modeler, la conduire pour être totalement au service du Royaume. Ça ne va pas de soi, comme un pilote automatique, on enclenche un bouton et hop... ça marche...! C'est un long compagnonnage de Dieu avec nous, c'est une amitié.»

La vie religieuse est un mode de vie signifiant, généreux, librement assumé, dans le sillage de notre baptême. Elle exprime ainsi l'actualisation de l'offrande parfaite de Jésus à son Père. Les vœux constituent «le développement durable» de l'offrande des religieux. Le vœu de pauvreté est l'expression de notre capacité à nous détacher de la possession et du pouvoir. L'obéissance ne va pas de soi. Ne cherchons-nous pas à claironner nos réussites et nos capacités? Il faut aussi savoir recueillir les écueils de la vie quotidienne. L'obéissance est en somme une expression ou une dimension de notre liberté intérieure. Quant au vœu de chasteté, peut-être le plus redoutable, le plus fragile, il nous permet d'être tout à tous, d'être – si possible – un signe de l'amour dont témoignait Jésus à l'égard de toutes les personnes, riches ou pauvres. Dans un monde guetté par la violence, y compris entre les religions et au cœur-même de nos Églises, devant les images quotidiennes de désolation, gardons l'espérance.

Vous trouverez dans ces pages des témoignages simples ou poignants. Oui, je vous le promets. Prenez et lisez. Le bonheur vous attend ! Non sans humour. Une pure joie.

TÉMOIGNAGES

Consacré-e-s

Un témoignage ?
Que dire ?

Cela me paraît très personnel. La relation entre Jésus et moi devrait-elle être mise publiquement à disposition ? En y pensant, de nombreuses expériences et souvenirs s'entremêlent : enthousiasme d'aimer et d'être aimé par Jésus parfois ; étonnement et refus à d'autres moments d'accepter son désir pour moi. Des éclairs de « oui », des temps de « non ».

Je me souviens.

Un prêtre, ami, m'avait donné un livre sur la vocation, j'avais 12 ans. Je l'ai gardé quelques semaines, puis le lui ai rendu sans le lire en lui disant que c'était « intéressant » !

Plus tard, à la fin du collège, ce même prêtre me redit : « Il te faut rentrer au noviciat maintenant. – Non ». Et je pars à l'université.

Mais Jésus veillait et discrètement me soufflait : « Viens, suis-moi, laisse tomber le reste. »

Cela créait en moi solitude, questions, abandons et retour à son amitié. Joie, tristesse, peur, insatisfaction.

J'étais toujours arrêté par une question fondamentale: «Mais pourquoi, Seigneur, toi qui me dis libre, ne puis-je pas ne pas te suivre, ne pas venir avec toi sans éprouver tristesse, malaise existentiel? Qu'est-ce que cette liberté? Suis-je libre de ne pas te suivre et d'être heureux? Non. Chaque fois que je te refuse en conscience, je suis malheureux.»

Ce combat dura deux ans. Et pour finir cela m'a brûlé.

Je suis entré au séminaire des Chanoines du Grand-Saint-Bernard. J'y suis encore dans cette famille, la mienne. Toujours avec le même combat. Mais aujourd'hui à l'aise avec mon existence: un pécheur qui aime Jésus. Et Jésus qui l'aime et en fait son frère.

Une expression de Newman demeure un lien de communion: «Moi-même et mon créateur.»

Jean

Hier, à la gare, devant un mur de boissons de toutes sortes.

Après une bonne minute de «contemplation», le monsieur à ma droite en costard-cravate, que je n'avais pas remarqué, me dit en allemand: «C'est dur de choisir, non ?» Moi: «Oui. Que cherchez-vous ?»

Il me regarde et il répond calmement: «Deux choses. Mais aujourd'hui, les deux sont difficiles à trouver. La première, c'est ce Coca-Cola, mais sans sucre. La deuxième, c'est la trace de Dieu dans ma vie.»

J'ai été bien troublée par sa réponse. Nous sommes restés une autre minute à regarder le mur.

J'ai prié pour trouver quoi lui dire. Puis enfin: «Je pense qu'il vous faut renoncer au Coca-Cola Light, mais pas à Dieu.»

Nous avons tous deux souri, pris notre boisson avant de nous diriger vers la caisse.

Puis du quai, j'ai aperçu mon brave homme d'affaires sur le quai opposé, de l'autre côté des rails. Il m'a fait un signe de la main en souriant et a vite crié un merci avant que le train n'arrive en gare.

Ce matin, ma prière a été pour lui.

My-Lan Michaela

Si je n'avais qu'une chose à dire, ce serait «oui», car c'est un engagement de toute la personne dans l'amour.

Hélène

Qu'est-ce que la vie consacrée?
C'est une vie donnée dans le monde d'aujourd'hui.

Donnée dans le sens qu'elle est dynamisée par la relation avec Dieu et avec les autres. On est «donné» lorsque l'on se laisse interpeller, remettre en question par ces rencontres.

Je me suis vite rendu compte que la générosité avec laquelle j'avais prononcé mes vœux à la fin du noviciat était à reconquérir tous les jours et même plusieurs fois par jour. Donner sa vie, c'est être dynamisé par le fait que rien n'est jamais acquis une fois pour toutes. La pauvreté, la chasteté, l'obéissance sont à choisir jour après jour. Au fil des années, je mesure combien le «sens des vœux» peut s'émousser. Aux jours d'internet, de la carte de crédit et des missions particulières, nous sommes appelés à une rigueur peut-être plus grande que nos aînés l'ont été. Le poids de l'exigence pèse plus sur les épaules de chacun... Et on découvre souvent que, très subtilement, on n'y a pas été aussi fidèle qu'on l'aurait voulu. Mais si on vit dans le don, ce constat lui-même dynamise et permet de repartir avec confiance. C'est vrai qu'il n'est pas besoin d'être religieux pour vivre cela, mais dans la vie religieuse, un cadre et surtout un compagnonnage avec d'autres aident à persévérer.

Bruno

C'est à travers divers «clins-Dieu» que le Seigneur m'a fait comprendre qu'il voulait me rendre heureux ici.

Il y a d'abord une balade dans la région: longeant la clôture de cette Chartreuse, cela m'intrigua... mais je ne fis que passer. Je revins l'année suivante pour une retraite (plutôt «pour voir»), et ce fut là le premier baiser. Tout chantait dans cet intense silence, je me croyais déjà au paradis. Le rayonnement du frère de l'accueil, un véritable vitrail de Dieu, me dit qu'ici se passait quelque chose, et quelque chose de beau. La nudité de l'église, la sobriété de la liturgie, le travail solitaire et silencieux, la confiance qu'on me donnait, le climat de prière, la beauté du lieu, oui, tout semblait vraiment m'inviter.

Ce fut donc d'abord un attrait, qui devint désir, pour devenir une voix toujours plus intense et retentissante: «Viens!» Parmi les deux types de vocation érémitique qu'offre la vie des chartreux, la vie de Frère convers convenait davantage à mes aptitudes, à mon besoin d'espace et de mouvement: une vie de prière solitaire développée dans des activités manuelles au service de la communauté, et appuyée sur la messe et l'office liturgique communautaire du milieu de la nuit.

«Il m'a aimé et s'est livré pour moi»: c'est en réponse à cet Amour que je Lui laisse ma vie de chaque jour, jour après jour, pas à pas. C'est avant tout sur la fidélité inlassable de Dieu que je m'appuie. Certainement, cette vie n'est pas facile, suivre le Christ n'est pas facile, il nous le dit souvent dans l'Évangile; et pourtant c'est très simple: il faut tout quitter. Et le plus dur reste à faire: se quitter soi-même. Mais Jésus nous dit bien que «ce qui est impossible à l'homme, Dieu peut le faire». Si tu te sens appelé, n'aie pas peur et ne tarde pas inutilement à répondre. Jette-toi dans ses bras, et confiance. Quand

bien même tu te serais trompé, ce ne sera jamais du temps perdu, bien au contraire, et le Seigneur est toujours là pour te montrer le chemin. Marie aussi est là qui nous porte dans sa prière. Oui, tout est grâce, Don de Dieu, cadeau offert !

Un Chartreux

Je choisis la vie religieuse pour suivre le Christ. Je n'ai pas beaucoup d'expérience dans la vie religieuse parce que je suis novice.

Avant d'entrer dans la communauté, je pensais que les religieuses étaient parfaites et que je deviendrais par-

faite en devenant aspirante. En entrant dans la communauté, j'ai découvert que les religieuses n'étaient pas
parfaites et moi non plus: ma faiblesse et mes limites
m'ont suivie. Donc je me suis posé beaucoup de questions. Tout à coup j'ai pensé que Jésus dit dans l'évangile
de Marc: «Je suis venu appeler non pas les justes, mais
les pécheurs.» Cela m'a aidée à continuer ma formation.

Fanjanirina Florette

La prière…
l'ouverture de la fenêtre
de mon âme vers le Ciel,
fenêtre qui doit rester ouverte
toujours, si possible.

Marie-Jeanne

La Providence m'a réservé un chemin particulier de vie. Je suis à Madagascar depuis trente ans, dans la ville d'Ambanja et j'exerce en tant que médecin et chirurgien.

Je suis responsable de l'hôpital Saint-Damien que j'ai fondé en 1986. Depuis vingt-huit ans, soixante-mille interventions chirurgicales ont été effectuées au sein de l'hôpital.

En particulier, la pratique de césariennes en urgence a permis de sauver des milliers d'enfants et de mamans qui n'auraient sans doute pas survécu.

En sus de mon activité hospitalière, j'ai également pu construire une maison d'accueil pour les enfants abandonnés devant la porte de l'hôpital par des parents sans ressources, ou en difficulté. En l'absence de famille proche qui pourrait les prendre en charge, les enfants sont recueillis dans le foyer, logés, nourris, scolarisés et reçoivent l'amour d'une famille recomposée.

Pour moi, la vie consacrée n'est donc pas une vie isolée du reste du monde, mais une vie intégrée, qui permet de révéler au monde, par l'exemple, la figure du Christ.

Stefano

La vie consacrée ?
C'est une expression qui
ne me dit rien, un langage
qui m'est étranger !

Et pourtant ! Cela fait trente-trois ans que je suis Petite Sœur de Jésus ! Dans le grand supermarché où je travaille, mes collègues savent... que ma vie est marquée par Dieu: pas de mari, pas de petit ami, pas d'enfant... Pas de TV, pas d'iPhone ni même de téléphone portable ! Et les vacances ? Pas de voyage aux Seychelles ou aux Canaries, mais quelques jours de solitude dans un lieu désert, à la montagne, seule avec ma bible ! Pourtant, cela ne signifie pas une vie austère, mais plutôt une recherche de l'essentiel, de la vraie joie !

Oui, ma vie est marquée par Dieu. Depuis toujours. «Avant de te former au ventre maternel, je t'ai connu; avant que tu sois sorti du sein, je t'ai consacré...»

Je me rappelle... Je n'allais pas encore à l'école. Je jouais dans l'atelier de menuiserie de mon père. Il y eut un sourire... Le sourire de la religieuse éblouit l'enfant que j'étais. Dès lors, mon ambition fut de lui ressembler: «Quand je serai grande, je serai sœur!» Bien sûr, à ce moment-là, j'ignorais tout de la vie consacrée. Je ne savais pas ce qu'était une «sœur». Mais je percevais intuitivement que cette femme était heureuse, et, moi aussi, j'avais envie d'être heureuse!

Quelques années plus tard, il y eut une nouvelle rencontre, décisive, avec Jésus en croix: il m'a aimée jusque-là! Humilité de Dieu: un amour offert, qui ne s'impose pas. L'amour attend une réponse. Comment allais-je y répondre? Au fond de moi, une invitation: «Tout donner, même ton rêve d'avoir un mari, des enfants...» Lutte... Refus... Fuite... Jusqu'au jour où je comprends que mon bonheur passe par le OUI... Un «oui» à peine murmuré et déjà la source de la joie se met à couler.

20 ans... Je fais la connaissance d'un garçon qui m'est très sympathique, et c'est réciproque! Temps de remise

en question, dilemme : comment faire un choix ? Pendant ce temps, je suis institutrice dans un petit village. En été, je fais un stage chez les Petites Sœurs de Jésus pour mieux connaître leur vie.

23 ans… Le temps mûrit toute décision. L'attrait d'une vie entièrement donnée à Dieu dans le célibat est plus fort. J'entre chez les Petites Sœurs de Jésus.

Anny Myriam

Ce qui me permet
de traverser les épreuves
de la vie, c'est de savoir
que je ne serai jamais
éprouvée au-delà de mes
forces. «Je sais en qui
j'ai mis mon espérance.»

Angela

J'ai été appelée à la vie consacrée à l'âge de 22 ans, au cours d'un grand rassemblement de jeunes catholiques, alors qu'on célébrait l'Eucharistie.

Cela faisait déjà trois ans que je demandais à Jésus de m'éclairer sur ma vocation. Le Seigneur m'a parlé à travers plusieurs évènements qui ont marqué ma vie. Il me donnait de voir des signes dans ma vie quotidienne pour découvrir sa Volonté sur moi.

À l'âge de 20 ans, alors que j'étais étudiante en philosophie, j'ai vécu une expérience très riche au Caire, en Égypte. Je suis partie durant l'été avec neuf jeunes aider sœur Emmanuelle du Caire dans les bidonvilles. Cela m'a fortifiée dans mon désir de me donner à Dieu.

En voyant les pauvres du bidonville, j'ai réalisé que ce qui comptait, dans ce monde, c'était d'aimer et d'être aimé. Les chiffonniers du Caire n'avaient rien. Le peu qu'ils avaient, ils nous le donnaient. Leur cabane (comme seule maison !) nous était toujours grande ouverte. J'ai reçu, là-bas, une grande leçon ! Ces pauvres me paraissaient plus généreux et plus joyeux que nous qui avions tout matériellement. En vivant aux côtés de sœur Emmanuelle, j'avais le désir de lui ressembler, c'est-à-dire de me consacrer aux autres, d'aimer et servir tous ceux qu'on rencontrait. Cette sœur a été pour moi comme une confirmation de la beauté de la vie consacrée.

Claire-Sandrine

C'est dans la joyeuse ambiance d'une colonie de vacances organisée par les Filles de la Charité que l'appel du Seigneur est venu frapper au plus profond de mon être, d'une étonnante manière...

Les sœurs qui animaient nos journées avaient le don de nous rendre heureuses avec mille petits riens qui faisaient pétiller la vie, si bien que dans un rêve, je me suis vue «comme elles, destinée à répandre beaucoup de joie autour de moi». J'en ai ressenti un étrange choc intérieur... Cela ne correspondait pas aux images de mes 15 ans qui me tournaient vers un bel amour humain et beaucoup d'enfants nés de ma chair… Je me suis confiée à l'une des sœurs qui m'a conseillé de garder ce beau rêve dans mon cœur… C'est elle qui a commencé à réveiller ma foi.

En communauté, je fais l'expérience d'une vie fraternelle d'une rare qualité, celle qui faisait dire à saint Vincent que les communautés peuvent «être des petits paradis». Chez nous, l'humour est roi. C'est incroyable comme une sœur aînée qui en a le don, peut alléger la vie… Porter et se porter les unes les autres est une force, une douceur qui permet de traverser les épreuves, les douleurs et les chagrins, qui ne manquent pas à toutes situations. Nous sommes profondément heureuses ensemble et cela rejaillit sur la mission.

J'aime les humbles services qui nous rendent si proches les uns des autres et si proches du Christ.

Vivre en consacrée, c'est miser sur la confiance absolue dans l'amour infini du Christ. C'est tout vivre : prier, servir, chanter, danser, pleurer, travailler en Lui et par Lui. Le laisser tout simplement nous rendre heureuses

là où il nous envoie pour rayonner son amour et ne revenir en arrière que pour admirer l'œuvre qu'il cisèle avec tendresse au plus profond des êtres.

Catherine Josette

Donner un témoignage,
c'est proclamer l'amour fou
que Dieu nous témoigne, Lui...

Mettre nos pas dans les pas
de Jésus, c'est une aventure
passionnante.

Sur le moment pourtant, rien d'extraordinaire, mais aujourd'hui, quand je regarde en arrière, tout devient clair !

Les clics de Dieu sont pleins d'humanité. En voici quelques-uns.

J'avais 8 ou 9 ans. Sur le gazon, d'innombrables pâquerettes lumineuses de tout le soleil qui se reposait sur elles. Pour moi, ce fut un éclat de lumière impossible à oublier. Si une petite fleur, une pâquerette, pas même une marguerite, pouvait être si belle, que devait être la beauté de Dieu ? Ce Dieu que fortement je désirais voir, le ciel que j'avais envie de connaître. J'avais la nostalgie de Dieu, et j'en ai pleuré... de bonheur, oui, mais aussi de souffrance, de compassion pour le Seigneur.

Je désirais l'absolu, une joie vraie, donc durable. Les seules réalités pour moi, c'est ce qui durait ; le temps me semblait passer très vite, autant alors s'occuper tout de suite de ce qui n'allait jamais finir.

Il y a aussi tous les jours où rien ne semble se passer, la nuit, le tunnel...

Si Dieu, on l'avait inventé ? À l'adolescence, ma vie semblait perdre tout son sens, pourquoi vivre, à quoi bon ? Je me débattais... À maman, j'ai demandé: «Pourquoi m'as-tu mise au monde ?» et «Je ne veux pas de la vie.» Une image du visage du Christ crucifié m'a bouleversée et lentement je me suis rendue à la lumière. Le sens de ma vie, c'était Lui, Jésus. Je me sentais renaître.

Dieu, Celui qui seul pouvait étancher cette soif de bonheur qui nous habite tous, qui seul pouvait combler mon cœur assoiffé d'absolu. Telle fut sans détour ma réponse à un jeune qui désirait entrer plus avant dans mon existence.

Marie-Claire

« Comment Dieu vous a-t-il appelée pour être sœur ? Vous a-t-il donné un coup de téléphone ? »

Ainsi me questionnaient les enfants du groupe de catéchisme.

Oh non, Dieu ne m'a pas donné un coup de téléphone, mais il m'a comblée de l'amour de mes parents. C'est sur les genoux de maman que j'ai appris à prier.

Anne-Elisabeth

Pour moi, prier c'est donner
du temps à Dieu.
Me rappeler la présence
de Dieu en moi et dans
les autres tout au long
de la journée.

Richard

ERRATA

LIRE:

P. 38: *ligne 1*   cinq milliards de **francs.**

P. 56: *§ 5, ligne 1*   Le **8** février 1904, les Japonais pénètrent sans avertissement à Port-Arthur...

P. 109: *§ 1, ligne 15* Le **4**, il viole la neutralité belge et déclare...

P. 113: *§ 2, ligne 1*   Le **21** mars, Ludendorff lance son offensive dans la région de Saint-Quentin.

P. 113: *§ 3, ligne 5/6* Au même moment, Allenby et son corps expéditionnaire de Palestine bousculent l'armée turque, arrivant à Damas le **30** septembre.

P. 113: *§ 4, ligne 7*   Le 8 novembre a lieu la rencontre entre Foch et les plénipotentiaires allemands à Rethondes.

P. 125: *§ 3, ligne 18* **dès** le **28** octobre 1922, cet homme de 39 ans monte au pouvoir.

«Quand je serai grande, je ferai comme la sœur.»

J'avais 7 ans, en première primaire, et ma maîtresse était une sœur ursuline. J'ai été touchée par la manière dont elle nous regardait, nous ses élèves, issus de toute classe sociale et munis de capacités très diverses. Chacun existait comme un enfant unique à ses yeux; la même attention pour chacun, la même disponibilité, et un seul désir: faire en sorte que chacun puisse donner le meilleur de lui-même, dans un profond respect des autres. Ce regard s'est imprégné en moi et, jeune adulte, au moment de me poser la question de l'orientation de ma vie, je me suis souvenue de cette sœur. J'ai alors demandé à passer quelques jours dans la communauté pour essayer de percevoir le secret de ce regard qui me faisait tant de bien.

J'ai découvert des femmes qui puisaient leur lumière dans des temps de silence avec Jésus, dans la vie en communauté fraternelle, la mise en commun de leurs biens et la disponibilité pour aller là où elles pourraient servir au mieux. Cette façon de vivre la vie chrétienne m'a touchée comme une forme d'appel à travailler au bonheur de l'humanité. Et j'ai voulu essayer, et je suis restée, non plus pour faire comme la sœur, mais pour vivre mon propre chemin de vie.

Anne-Véronique

Ma plus grande joie,
c'est d'être reliée au monde
d'aujourd'hui avec les
moyens les plus périlleux
et à la fois merveilleux, car
je souhaite que tous ensemble
nous soyons créatifs
comme Dieu est Créateur.

Quand je regarde un match de foot à la TV et que je jubile devant un but prodigieux suivi du délire de l'équipe, je me dis: l'arrivée au ciel de l'humanité, ce doit être ça!

Christine

Très tôt, j'ai désiré être religieuse; mais je ne pensais pas que c'était réalisable.

Je ne connaissais pas de sœurs… et les filles que je rencontrais étaient tellement mieux que moi… Alors que j'avais 5 ou 6 ans, deux versets bibliques m'ont marquée: «Quitte ton pays, ta parenté, pour le pays que je te montrerai.» et «Maltraité, il s'humiliait, il n'ouvrait pas la bouche, comme un agneau se laisse mener à l'abattoir.» J'ai grandi avec mon secret jusqu'à l'âge de 10 ans. Maman a été ma première confidente. Voici sa réponse: «On ne gagne pas sa vie en étant sœur.» Dix ans plus tard, au même endroit dans la cuisine, je lui dis mon intention d'entrer au couvent de la Sainte-Famille à Besançon. Elle m'a embrassée… ses larmes coulaient sur mes joues.

Pascale Dominique

À 20 ans, j'ai arrêté mes études, car je n'avais aucune espérance.

J'allais de déception en déception avec ma famille, mes amis, mon travail. Je glissais peu à peu dans la dépression. C'est alors que je me suis souvenue de Dieu et des paroles de ma mère: il fallait prier. Je me suis retirée dans ma chambre et j'ai commencé à prier le chapelet. Je me souvenais de sa structure mais ne connaissais plus les prières! J'ai cherché dans mes affaires un ancien catéchisme et je me suis mise à prier, ou plutôt à crier vers Dieu. Par Marie, mon cœur s'est ouvert au Seigneur, à son amour. Progressivement, Dieu a changé ma vie. J'étais dans la grisaille et il y a mis de la couleur. J'ai goûté avidement son amour dans les sacrements: l'Eucharistie et le sacrement de réconciliation.

J'avais trouvé enfin le véritable trésor et je souhaitais le partager. Par la suite, mon premier appel est revenu à ma mémoire et le désir de me consacrer à Dieu a grandi. Lors d'un pèlerinage marial, c'est encore la Vierge Marie qui m'a montré le chemin ! Une personne m'a parlé de la communauté du Verbe de Vie. J'y suis allée, puis après une année de formation, je m'y suis engagée. Le 15 décembre 2013, dans une église dédiée à Notre Dame du Rosaire, j'ai prononcé mes vœux définitifs.

La Vierge Marie m'a guidée, protégée, enseignée. Elle demeure aujourd'hui le modèle et la maîtresse de ma vie consacrée.

Teresa

Dans la solitude,
il me comble de Lui et me
donne ce monde à aimer
par Lui, avec Lui.

Pour le dernier quart de ma vie, j'ai laissé la barre à Celui qui, si humblement silencieux, m'avait accompagnée jusqu'alors, m'avait attendue dans sa miséricorde infinie, m'ayant choisie «dès le sein de ma mère et appelée par sa grâce».
Pour la Gloire de Dieu et le salut du monde!

Michelle

L'amour de Dieu, l'amitié
de ma communauté,
la foi en Jésus-Christ,
en ses actes et en ses
paroles me permettent
de traverser les épreuves
de la vie.

Patricia

La joie de ma vie prend sa source dans un lien dynamique avec le Christ, Fils bien-aimé du Père. Elle se nourrit grâce aux relations vécues au fil du quotidien.

Marie-Brigitte

Cette année 2014, il y a cinquante ans que j'ai reçu l'envoi officiel de l'Église comme missionnaire.
C'était le dimanche de la Sainte-Trinité en 1964.

Pour moi, ce grand moment me permit de témoigner de ma réponse de foi et de mon engagement de cœur selon l'appel personnel reçu au plus profond de mon être depuis mon enfance. Je me savais aimée et portée par cet amour intime. J'étais prête à m'offrir moi-même et à offrir mes services à LUI comme à son Église.

Cet envoi ecclésial était intégré à une célébration eucharistique dans ma paroisse natale. Je me rappelle encore certaines phrases de l'homélie de mon frère prêtre: «Toute vocation missionnaire est enracinée dans

l'amour vivant de la Sainte-Trinité... C'est ainsi que la vie de certains grands missionnaires, portés par un amour brûlant, devient oraison et louange à Dieu Trinité. Elle est aussi le désir ardent que Sa Gloire et Son Amour Miséricordieux puissent rayonner à travers leur vie et leur service. »

Zelia

Ma vocation a été préparée par la Vierge Marie lors d'un pèlerinage à Lourdes.

Puis, à l'occasion d'un camp de jeunes, dans le silence de la montagne, l'Esprit saint a suscité cette question: «Pourquoi ne serais-je pas religieuse?» C'était un appel très fort qui ne m'a plus quittée. Suite à quelques années de recherche, guidée par un père capucin, et après

avoir participé à un pèlerinage Rome-Assise, je suis entrée au monastère. Bien déterminée, quittant tout, j'étais très heureuse d'être accueillie par ma nouvelle famille religieuse: une communauté de sœurs vivant dans la simplicité et le partage, selon l'esprit de saint François. Sur la colline, très bien située, en dehors de la ville, le «Poverello» nous invite à communier dans la louange à toute la création. La vie monastique m'a formée, jour après jour, par la prière, le silence, l'écoute de la Parole, la liturgie, le travail et la vie communautaire.

Après le concile Vatican II, bien des adaptations se sont avérées nécessaires et décapantes: par exemple la liturgie en français, une seule assemblée pour l'Eucharistie, la revalorisation de la prière silencieuse devant le saint sacrement, une ouverture plus grande pour les missions, se concrétisant pour nous par une fondation au Tchad.

Jésus est vraiment le bon berger, le guide sûr et fidèle. Avec Lui, je me sens en sécurité, la vie a un sens, un but, un idéal.

Mais les épreuves sont aussi nécessaires à la croissance. La marche au désert, c'est rude pour notre foi: il faut creuser, débroussailler, pour atteindre la source en soi. Toutefois, en gardant courage, ténacité et confiance, on débouche tôt ou tard sur la lumière, la joie et la paix. Il faut redynamiser sa vie avec le Seigneur pour bien passer chaque étape.

L'abandon confiant à l'Esprit saint qui souffle dans les voiles m'a beaucoup aidée à avancer.

Marie-Gabrielle

J'ai eu un désir profond de donner ma vie à Dieu et aux autres dès 12 ans.

J'ai connu ma communauté à 16 ans. J'ai beaucoup aimé la joie qui rayonnait des sœurs, leur prière devant le saint sacrement et les offices communautaires, ce temps donné malgré leur travail.

Au terme d'un long temps de discernement et de recherche, j'ai été accueillie par la communauté des Sœurs de Saint-Maurice. Après des années difficiles j'ai prononcé mon engagement perpétuel.

J'ai eu beaucoup de chance dans ma vie: Dieu m'a toujours donné des personnes qui m'ont aidée et qui ont cru à ma vocation. J'ai beaucoup puisé dans la relation avec Dieu la force d'avancer dans le «oui».

Anne-Vérène

Vu mon âge, je fais partie maintenant de la communauté des sœurs aînées.

Si ma vie n'est plus tellement productive, elle n'est pas devenue inutile pour autant. Au contraire, elle remplit une belle mission qui rejoint celle de l'Église: que d'appels de détresse nous sont confiés, comme aussi des évènements joyeux! La communauté est une excellente école de l'art de vivre l'amour au quotidien. Si la vie fraternelle a ses heures joyeuses, elle connaît aussi des difficultés. Je dois m'exercer à avoir un regard bienveillant, à pardonner et à demander pardon. Chaque dépassement, chaque victoire remplit le cœur de paix et de joie! «Le Seigneur fit pour moi des merveilles, saint est son nom!»

Joseph-Marie

La plus grande joie
de ma vie est le don total
de moi-même à mon
Seigneur dans la mission
éducative auprès des
enfants, des jeunes,
des catéchistes, en Église.

Brigitte

« Ce n'est pas vous qui m'avez choisi, mais c'est moi qui vous ai choisis pour que vous alliez, que vous portiez du fruit et que votre fruit demeure. »

Cette parole de Jésus, je l'ai lue sur une image que le vicaire de ma paroisse m'avait donnée à l'école... j'avais 10 ou 11 ans. Elle s'imprimera dans mon cœur et m'accompagnera tout au long de ma vie... Dans les moments les plus hésitants, j'entendais toujours une petite voix qui me rappelait ce choix du Seigneur.

Paula

Lorsque je me retourne,
la gratitude explose dans
mon cœur : je T'ai fait
confiance Jésus, et jamais
Tu ne m'as déçue !
Laisse-moi T'adorer et Te dire
MERCI par toute ma vie…

Nadia Marie

La vie consacrée est une grâce qu'on ne peut que recevoir, c'est une réponse à un appel qui ne se fait pas une fois pour toutes, mais qui est à renouveler chaque jour.

Regina

À l'âge de 18 ans, j'ai ressenti de plus en plus le désir d'avoir la vocation religieuse,

de pouvoir rejoindre une communauté dont j'admirais profondément le témoignage de vie spirituelle, de charité mutuelle et d'engagement apostolique.

Mais je me sentais totalement indigne de penser que Dieu m'appelait, moi aussi, à cette vie de consacrée. Un certain jour, lors de la messe quotidienne, j'ai compris soudain que ce désir né dans mon cœur comme une semence déposée par Jésus est précisément ce qu'on appelle «la vocation»... Tout devint clair.

Thérèse-Marguerite

Suite à une épreuve familiale l'année de mes 18 ans, je me suis éloignée de Dieu et finalement, j'ai laissé tomber la foi.

J'ai profité de la vie, mais un grand vide a été mon lot. À 25 ans, je me suis posé la question du sens de l'existence. Durant cette période, je travaillais en pharmacie. En livrant des médicaments dans un home, je rencontrais chaque semaine une sœur. Elle avait une grâce particulière d'accueil et d'écoute. Sa présence remplie de paix m'interpellait. À la jeune fille très sophistiquée que j'étais, elle parlait simplement du Seigneur et m'invitait à des retraites spirituelles. Je prenais poliment les papiers, sans jamais y aller. Cependant, mon cœur recommençait à s'ouvrir. C'est ainsi que je suis partie avec maman en pèlerinage diocésain à Lourdes.

J'avais deux valises: l'une avec des tenues sobres de pèlerinage et l'autre pour sortir me divertir! C'est alors qu'au cours d'une veillée, j'ai été submergée par l'Amour de Dieu. Je me suis tout à coup sentie infiniment aimée et pardonnée. Ce 15 juillet 1998, j'ai fait l'expérience de sa Miséricorde. Ma vie prenait un tournant à 180 degrés; Dieu y entrait de nouveau! Quelle bénédiction!

Faustine

Je suis né dans une famille profondément chrétienne; suivre le Christ en devenant prêtre m'habita très tôt.

Les années de grand séminaire coïncidèrent avec le Concile Vatican II. Je rêvais d'être prêtre en exerçant une profession salariée. Deux années de service civil au Liban, un service d'alphabétisation auprès de migrants maghrébins, la fréquentation d'une communauté de trois frères capucins-ouvriers, dont l'un avait vécu long-temps en Algérie, me rapprochèrent du monde arabe. Mais je ne me sentais pas la fibre franciscaine. À la fin de ce long cheminement, je discernai que ma suite du Christ était d'être évangélisateur dans le monde ouvrier en rejoignant la Mission ouvrière Saints-Pierre-et-Paul. Ce qui m'étonne encore aujourd'hui, c'est ceci: bien que fortement attiré par le monde arabe, c'est vers un tout autre continent, celui des travailleurs manuels et techniques, que je fus envoyé comme évangélisateur.

Cet envoi au loin, vers l'ailleurs au nom du Christ, à la manière de saint Paul, se renouvela encore peu d'années après mon postulat. Les responsables de la Mission ouvrière Saints-Pierre-et-Paul, m'ayant associé à leur discernement, m'envoyèrent au Japon où je vécus vingt ans dans une équipe de trois frères. Nous gagnions notre vie comme infirmier, fondeur, électricien. Nous désirions partager au plus près la vie des travailleurs japonais en adoptant leur manière de travailler, de se loger, de se nourrir, en un mot de vivre au plus près d'eux pour entrer en amitié, car nous savions que nos concepts spirituels pour dire Jésus-Christ n'avaient quasiment pas d'équivalents dans la culture japonaise, très proche de la nature. Nous n'étions pas les premiers évangélisateurs à en faire l'expérience. Tout en nous enfouissant peu à peu dans cette culture si fascinante, nous sentions se creuser en nous le souci de nous laisser surprendre par son inattendu, de mieux écouter les

Japonais qui ne parlent pas facilement de ce qui les fait vivre. C'est le contact constant avec les Écritures qui a fortifié le goût de la rencontre, qui a purifié notre attention à l'autre. Ne pourrons-nous jamais assez proclamer que Dieu est merveilleux, Lui qui crée la beauté des cultures dans leur diversité !

Philippe

Comment savoir
que c'est Lui ?

J'avais appris à connaître les Sœurs de Saint-Augustin quand j'avais 14 ans et demi. Ma belle-mère et moi, nous ne nous entendions pas très bien, il nous fallait «changer» quelque chose à notre espace de vie. Mes parents proposèrent que je parte en Suisse romande apprendre le français, alors que moi je n'en avais aucune envie, mais je n'avais pas vraiment le choix.

Je ne savais pas que j'allais aboutir dans une maison de sœurs. «Religieuses» – comme indiqué sur le prospectus – ne voulait pas dire «sœurs» pour nous, mais juste des femmes ayant le souci aussi bien de l'âme que du corps des jeunes volontaires. Je donnai donc mon accord... et la surprise fut totale, de me trouver en face de «bonnes sœurs».

Comment Dieu appelait-il? Comment pouvait-on être sûr que c'était Lui? Trois ans ont passé. J'avais quitté Saint-Augustin et j'étais en apprentissage de typographe. Très engagée dans la vie des groupes de jeunes de ma région, j'ai été amenée – lors d'un pèlerinage de la paroisse au Ranft – à découvrir saint Nicolas de Flüe. C'est lui qui, par l'exemple de son offrande, m'a conduite à donner ma vie à Dieu.

Au début de l'année 1980, au cours d'une retraite à Taizé, j'ai dit «oui» au Seigneur.

Claudia

À 19 ans,
le 12 septembre 1951,
au tombeau de saint François
à Assise, à genoux
sur les marches de l'autel,
je priais.

Quelque chose a résonné en moi: «Et si tu quittais tout pour Jésus-Christ?» Ce n'est pas vraiment une voix, c'est quelque chose qui monte du cœur, comme une inspiration, mais marquant pour toujours, indélébile. Dieu merci! Je commençai alors un accompagnement spirituel. Plus tard, j'entendrai au fond de moi de la part de Jésus, devant sa croix: «Pour toi, j'ai accepté de tout perdre.» C'est encore autre chose.

Dire oui à Dieu, mais où? Pour moi, ce fut la vie con-sacrée, après un début de fréquentations. Et ce fut la

Congrégation des Sœurs de Saint-Augustin. Pourquoi ? J'avais eu la chance de faire une maturité commerciale, je travaillais à l'imprimerie chez les Sœurs et je voyais ce Bulletin Paroissial. Je me disais: ce petit bulletin si modeste, il s'en va chaque mois dans plus de deux-cent-mille foyers. S'il pouvait être amélioré, si je pouvais y travailler plus tard, j'aimerais bien. La vie des Sœurs, leur travail assidu, leur joie et leur bonté m'ont attirée, avec les temps de prière organisés même pour le personnel laïc.

Claire

Ce qui me permet de traverser les épreuves de la vie, c'est la prière et la foi en Dieu, ma communauté, mes amis et mon engagement dans ma mission apostolique.

Marianne

Je m'appelle sœur Esther. Je suis sourde profonde depuis ma naissance, car ma mère a eu la toxoplasmose.

Mon père était diplomate, nous avons donc habité à l'étranger: à Rio de Janeiro, à Beyrouth au Liban. Puis il est devenu ambassadeur de France au Togo à Lomé, au Soudan à Khartoum, puis à Madagascar. Ma mère est devenue orthophoniste quand j'avais 14 ans. J'ai toujours travaillé avec elle et à l'école spécialisée pour les sourds.

Ma mère m'a obligée à apprendre, avec des bouts de bâtonnets de formes différentes, comment mettre la langue pour bien prononcer les mots, car je n'entends pas les consonnes et les voyelles. J'ai fait des exercices, tous les jours, avec elle pendant quatorze ans.

«Chapeau maman!»

Mon père a pris sa retraite et nous sommes revenus en France. Il y a eu ensuite plusieurs évènements difficiles pour moi. Un cancer s'est déclaré chez ma maman. Elle était très fatiguée, chaque fois que je lui demandais: «Est-ce que tu peux m'aider à téléphoner à quelqu'un?», elle me répondait: «NON». Je devais me débrouiller toute seule.

En plus de la surdité, j'ai une maladie génétique très rare. À la naissance, j'avais une tache brune sur la peau et, à partir de 11 ans, j'ai eu des petites taches partout sur mon corps. Quand j'allais à la piscine, à la plage ou même dans les rues, tout le monde me regardait et se moquait de moi. J'étais angoissée par ces moqueries: «Pourquoi me regardes-tu?»

Ma colère augmentait, mon chemin était de plus en plus difficile, je n'arrivais pas à trouver ma liberté. J'étais souvent révoltée à cause de la communication difficile même à table avec la famille. Un soir, j'ai préparé mon sac à dos, j'ai dit à mon frère Philippe que je partais, que je ne reviendrais plus. Je suis allée à la gare. Philippe est venu me voir sur le quai. Il a posé sa main sur mon épaule. J'ai dit: «Ne me touche pas, sinon je me jette sur les rails!» J'avais envie de me suicider. Tout à coup le train est arrivé, mais je n'ai pas voulu faire ça! J'ai pris le train et je suis descendue à la gare suivante. Je suis revenue à pied sous une forte pluie. J'ai pleuré en arrivant à la maison.

Maman chérie allait mourir: j'ai commencé à prier pour elle avec une amie malentendante de la Communauté de l'Emmanuel qui m'avait appris. Même après sa mort j'ai continué à prier.

Deux ans après sa mort, une interprète m'a dit aux JMJ pour les sourds: «Le Verbe de Vie, ce serait génial pour toi!» Je me demandais ce que c'était, j'avais peur car j'avais expérimenté beaucoup de choses pour trouver le bonheur. Alors j'ai fait une année sabbatique à la Communauté du Verbe de Vie et j'ai commencé à avoir soif de la parole de Dieu, de la prière quotidienne. J'étais contente des services, de faire plein de choses pour Dieu, d'être la servante du Seigneur.

J'étais plongée dans la joie, dans l'amour de Jésus. C'est le début de mon cheminement avec la Communauté. Jésus m'a donné la liberté. Un jour, le saint sacrement passait devant moi, je L'ai regardé dans l'hostie, j'ai pleuré de joie ! J'étais bouleversée, car le Seigneur avait cassé le mur derrière lequel j'étais enfermée jusque-là. J'étais soulagée grâce au Seigneur qui me disait : «Viens, ma fille, suis-moi, je t'aime.» J'ai reçu une très belle grâce. Mais surtout j'ai compris que je ne suis pas «sourde» : j'accepte mes taches et j'accepte mes limites, j'entends la voix de Dieu dans mon cœur qui a bien deux oreilles, pour entendre Sa Parole.

«Vous pouvez croire en l'Amour de Jésus pour vous !»

Esther

Malgré mes imperfections,
je porte en mon cœur
le grand désir de voir
les gens heureux de croire
en un Dieu de Jésus-Christ
qui est source de vie,

de se retrouver pour le repas de l'Eucharistie, de découvrir ensemble combien ils sont aimés de Dieu, et combien son Esprit est à l'œuvre au cœur même de leur vie.

Alain

Je suis née en 1937 et
lorsque j'étais enfant,
je désirais réaliser quelque
chose de grand dans ma vie.

À 17 ans, j'ai lu l'histoire d'une fille qui avait donné sa vie à Dieu et était morte de tuberculose à l'âge de 20 ans. Cette histoire m'a paru quelque chose de grand et, suite à cela, moi aussi j'ai voulu donner ma vie à Dieu. Mais le temps passait et à 20 ans je me suis demandé comment concrétiser cette donation. Je ne me sentais pas attirée par le couvent, je voulais vivre au milieu des gens, mais je n'arrivais pas à concilier cela avec le fait d'être toute donnée à Dieu. Quelqu'un m'a parlé du Mouvement des Focolari et un écrit de Chiara Lubich m'a fortement interpellée: «Voici l'attrait de notre époque: s'élever jusqu'à la plus haute contemplation en restant au milieu du monde, homme parmi les hommes. Mieux: se perdre dans la foule pour qu'elle s'imprègne de Dieu, comme s'imbibe le pain trempé dans le vin. Mieux encore : associés aux projets de Dieu sur l'humanité, tracer dans la foule des chemins de lumière, et partager avec chacun la honte, la faim, les coups, les joies brèves. »

C'était la vie que je désirais et je me suis mise à la recherche de ces personnes. Je me rappelle que dans l'ascenseur mon cœur battait très fort, une jeune fille a ouvert la porte et en moi j'ai senti : « Je voudrais être comme elle ! » C'était le 27 novembre 1957. Elle m'a raconté ce qui est devenu pour moi ma « divine aventure ». J'ai alors découvert l'Évangile que je ne connaissais pas, un évangile à traduire en vie.

Franca

Le silence et la clôture, comme les berges d'une rivière, deviennent pour nous la possibilité jour après jour renouvelée d'un continu et patient chemin de conversion,

pour que tout, et toujours davantage, puisse être immergé dans ce «demeurer» à la présence du Seigneur: le travail, la vie communautaire, l'accueil de la personne qui frappe à notre porte.

Tout devient un appel à rester avec Lui, à devenir en nous-même un espace pour Lui, dans la certitude que c'est seulement dans son cœur que nous pouvons rencontrer chaque frère et chaque sœur et cheminer ensemble en partageant joies et peines, espérances et attentes.

Le monde peut changer si nous laissons le Seigneur changer notre cœur; juste demeurer sans nous laisser enfermer par nos limites et nos péchés, ce que nous pouvons offrir sur l'autel chaque jour, pauvrement mais avec joie, dans le «sacrifice de louange» en union avec le sacrifice unique du Fils de Dieu.

Une Clarisse

Mon éveil à une relation vivante avec Jésus s'est fait par des rencontres successives.

Ce fut d'abord, en classe préparatoire, un camarade protestant qui n'avait pas honte de sa foi. On savait qu'il lisait la Bible. Son témoignage m'a incité à reprendre

celle qu'on m'avait offerte à l'âge de 12 ans. À cette époque venait de paraître la traduction œcuménique de la lettre de saint Paul aux Romains. Je la lisais avec intérêt, sans me rendre compte que je commençais par le texte le plus difficile. À 20 ans, en aumônerie étudiante, je me suis posé la question: «Si le Seigneur t'appelait à être prêtre, comment réagirais-tu?» J'étais tout disposé à aller à la messe chaque jour. Nous étions à la veille de mai 68. Les sciences humaines remettaient radicalement en question la foi. Je cherchais des réponses.

En fait, il aurait fallu m'arracher à mon confort, à ma tranquillité… C'était une mort à soi-même à laquelle je ne pouvais me résoudre.

L'adoration eucharistique pratiquée avec les jeunes qui fréquentaient la Basilique du Sacré-Cœur à Montmartre m'ouvrit à Dieu, à moi-même et aux autres. Jésus vivant dans le saint sacrement devenait le centre de ma vie, pour ne pas dire ma raison de vivre. Les jeunes que je fréquentais étaient dévorés par la flamme de l'aposto-lat. Cette flamme n'a jamais cessé de brûler dans mon cœur. Dans ce climat de grande ferveur, je retrouvais ma vocation d'enfant, sans penser particulièrement à la vie religieuse. J'étais certain que ma vocation n'était pas un feu de paille. Mais où me diriger pour répondre à l'appel du Seigneur ? Une collègue de travail me fit connaître les Carmes. Je n'y aurais pas pensé moi-même, mais la vie religieuse me parut un bon moyen de réaliser ma vocation de prêtre. En effet, les Carmes, qui sont des contemplatifs, exercent aussi un apostolat. Ce ne fut pas facile de commencer un noviciat à 33 ans. Mais grâce à la patience de mes formateurs, le jour anniversaire du baptême de saint Augustin, je prononçais mes vœux solennels. C'était la vigile du dimanche de la Miséricorde.

François

Dans ma jeunesse,
j'aimais prier certains versets
des psaumes:
«La tendresse de Dieu et
Sa fidélité m'accompagnent
chaque jour de ma vie.»
«Dieu ma vie, je Te chante.
Oui, c'est Toi ma citadelle,
c'est Toi le Dieu de mon
amour.»

En réponse à un appel personnel de Dieu que j'avais
perçu, je voulais
– me donner à Lui et engager ma vie à la suite du Christ,
dans et pour l'Église et

– témoigner de l'Évangile, en restant insérée dans mon milieu habituel de vie, c'est-à-dire avoir une activité professionnelle, maintenir des liens avec ma famille, mes amis, avec ceux que je côtoyais tous les jours…

Je vivais dans ma famille, et j'ai eu une adolescence heureuse, active dans ma paroisse et des mouvements de jeunesse. Après mes études, j'ai travaillé dans la fonction publique, dans le domaine social et financier.

Cependant, la trentaine arrivée, j'ai réalisé que vivre dans le célibat, même s'il est choisi par amour pour Dieu, était une vocation difficile sans appui spirituel et amical. J'ai été orientée vers les instituts séculiers, forme récente de vie consacrée, reconnue par l'Église en 1947.

Mon choix s'est donc porté sur l'institut séculier Caritas Christi. Toute notre raison de vivre est de demeurer dans l'Amour de Dieu pour l'aimer et le faire aimer, là où il nous a placées.

Josette

Répondre à sa vocation,
c'est chercher sans cesse
à être en accord avec
le projet de Dieu sur soi.
Il en résulte une paix
et une joie profondes.
Une très belle aventure,
et qui vaut la peine d'être
vécue à fond!

Jacqueline-Marie

De la grâce d'aveuglement...
...à la grâce de la durée

La vie religieuse ? Une vie toute simple et ordinaire qui prend des distances par rapport à un monde où tout doit être efficace et rentable. Au cœur de notre vie: Jésus-Christ. Notre humanité est celle de tout un chacun avec ses pauvretés et ses grandeurs, ses fragilités et ses puissances d'amour.

Enfant et adolescente, j'ai été marquée par des situations d'injustice et de mépris de la part de personnes «bien pratiquantes». Inconsciemment, cela a attisé ma quête de Dieu et de cohérence entre ma foi et mes actes. Grâce à la rencontre d'autres jeunes et du prêtre qui animait le groupe, Jésus-Christ est devenu QUELQU'UN pour moi, une Présence au secret de mon être. Une joie jusque-là inconnue m'a dès lors habitée.

En 1978, à l'âge de 22 ans, je suis rentrée au monastère pleine d'élan, d'idéal et de jeunesse.

J'avais beau savoir que je ne choisissais pas la facilité, j'ignorais tout de l'école de la vie communautaire. Comme tous les amoureux, j'ai eu ma grâce d'aveuglement. Je suis aujourd'hui intimement persuadée qu'elle est indispensable à notre condition humaine. La période de formation à la vie religieuse ne m'a pas épargné un «tsunami» intérieur. Jalousies, rivalités, peur de ne pas être aimée se sont levées en tempête, révélant des blessures jusqu'alors inconnues. Je tombais de haut...! La vérité sur moi-même se faisait au travers de ce que les autres me révélaient de moi. La confiance de mes responsables ainsi que celle des personnes qui m'accompagnaient m'a permis de traverser, de grandir. Dieu s'est incarné à travers des êtres bienveillants.

Lors de mon engagement définitif, j'avais mis en évidence cette parole d'Isaïe: «Ton Dieu sera ta beauté, ta Lumière éternelle.» Trente ans après, le même désir m'habite encore: que ma vie dise quelque chose de la grandeur et de la beauté de Dieu.

Et si c'était à refaire, me demande-t-on parfois?

Eh bien, oui ! Si c'était à refaire, je referais le même choix, et croyez-moi, je n'ai pas l'esprit de sacrifice. Humainement et spirituellement, je ne regrette rien, bien au contraire. Mon cœur est à la reconnaissance, Dieu est ma joie. Une joie paisible et profonde que n'ébranlent pas les vagues houleuses qui peuvent agiter la superficie de mon existence.

Aux heures de doutes et de lassitude, et elles existent, je me redis cette Parole que Jean l'évangéliste met dans la bouche de Jésus: «Ce n'est pas vous qui m'avez choisi, mais c'est Moi qui vous ai choisis et établis, pour que vous alliez, que vous portiez du fruit et que votre fruit demeure.» Alors mon regard tourné vers Lui, et non vers mon nombril, me redonne la bonne direction à suivre: il est «le Chemin, la Vérité, la Vie».

Colette

Rejoindre avec le Christ
les plus pauvres,
particulièrement les femmes
dont la dignité est bafouée,
les voir se relever parce
qu'elles se sentent aimées
et valorisées.
Telle est ma joie.

Cécile-Thérèse

Oh, j'aime le calme et le silence, mais je suis plus une pélégrinante.

J'ai besoin de marcher dans mes Alpes, de grimper dans la nature pour que – sous le regard de Dieu – mon âme respire. Souffle, vent, brise, air sont des mots qui ont un grand écho en moi... Être pleinement et toute à mon Maître et Seigneur est essentiel. Je dis souvent que ma vocation, c'est d'ÊTRE simple et simplifiée comme un fil tendu entre deux doigts et vibrant au souffle de l'Esprit saint. C'est être concentrée, condensée en Dieu, réduite à l'essentiel, au centre de mon ÊTRE, là où réside Yahwé, celui qui se présente à Moïse, au buisson ardent, en disant: «Je suis celui qui suis.» Celui qui m'offre, par son Fils, la vie éternelle.

Emmanuelle

Pour moi, consacrer ma vie
à Jésus-Christ signifie
la donner dans le service
quotidien, dans l'espérance
et la miséricorde.

Pour moi, prier c'est croire à l'Amour, être en relation et en communion avec Dieu qui est Trinité, intercéder pour et avec l'humanité. C'est un oui d'action de grâce !

Andréa

Je suis née et j'ai grandi dans une famille chrétienne pratiquante, avec des parents qui s'aiment, deux frères et une sœur.

J'ai fait du scoutisme, participé aux aumôneries scolaires et universitaires. J'ai pu suivre une formation supérieure et travailler comme ingénieur commercial en PME.

Je suis sportive: durant mes études et ma vie professionnelle, j'ai pratiqué l'aviron, en compétitions régionales et nationales.

J'avais ainsi une «belle vie», équilibrée, riche, ... et pourtant je portais en moi une attente, quelque chose qui n'était pas comblé. Je me tenais disponible, prête à partir... Je pensais naturellement à un autre travail, un autre pays, un mari !

Grâce à mon parcours chrétien, je savais que Dieu voulait mon bonheur, voulait «réussir ma vie» et je connaissais déjà la joie de vivre en Église: participation à l'Eucharistie, service de catéchèse, animation liturgique... Durant l'été 89, j'ai décidé de partir aux JMJ de Compostelle avec cette question: «Seigneur, que veux-tu que je fasse de ma vie?», pressentant que la réponse me viendrait de Lui, en Église. Et je n'ai pas été déçue! J'ai été rejointe par la prédication du pape Jean Paul II sur «Jésus, Chemin, Vérité et Vie» qui répondait à beaucoup de mes questions existentielles, et j'ai surtout été interpellée par son appel final: «N'ayez pas peur d'être des saints!», «N'attendez pas d'être parfaits pour suivre Jésus.»

Pour moi, la vie consacrée est un itinéraire de foi et d'amour, où j'essaye de vivre et de témoigner que Dieu nous aime personnellement, nous sauve, nous guérit, et qu'il nous comble. C'est un itinéraire d'espérance qui me fixe sur les réalités qui ne passent pas et m'aide à voir le monde et les frères avec le regard du Seigneur.

Aujourd'hui, avec Thérèse je peux dire: «Ô mon Dieu, vous avez dépassé mon attente!» et je remercie la Vierge Marie qui m'accompagne sur ce chemin d'offrande: «Faites tout ce qu'il vous dira!»

Karenn-Marie

Élevée dans la foi catholique, je rejette dans ma jeunesse ce que je crois être de vieilles idées dépassées.

Pourtant je cherche au fond de moi et dans le monde une vérité, un sens à ma vie que je ne trouve pas. Je suis légèrement handicapée de naissance (déformation du regard, paralysie des grands dentelés), et après quelques années de mariage, je deviens veuve avec trois petits enfants.

Je tombe dans le désespoir, mais ma famille, avec l'Église, veille. Maman me transmet le livret de saint Jude, patron des désespérés. Pendant trois ans, avant de m'endormir, je dis ces prières. En 1997, année consacrée à la méditation de la vie de Jésus-Christ décrétée par Jean Paul II, poussée par l'Esprit saint, je participe à la veillée pascale. Cette nuit-là, pendant l'eucharistie, je sens une force négative sortir de moi, monter vers la plaie du cœur de Jésus-Christ en croix. Mes yeux ne tremblent plus, je n'ai plus de tourments intérieurs. Je ressens une joie intense et une paix totale, présentes encore aujourd'hui après dix-huit ans: finies les déprimes! Je comprends que Jésus-Christ est vivant, il m'aime, tout ce qu'il dit est vérité!

Agnès

Chaque jour, dans la joie et dans la peine, avec nos dons et nos limites, nous chantons ensemble la louange pascale par des hymnes et des psaumes.

Unies à toute l'Église, nous nous mettons à l'écoute de la Parole de Dieu. Je souhaite me laisser imprégner par la force et la beauté de la liturgie afin que cette école exigeante transforme petit à petit toute ma vie en louange et action de grâce.

Chaque jour, j'ai la chance d'être en contact avec la nature. La beauté de la création est pour moi à la fois source de vie et témoignage de l'amour et de la fidélité de Dieu. En m'occupant du parc, je peux participer à cette beauté à la fois grandiose et fragile, en prendre soin et la faire découvrir. Quelle joie de partager proximité et amour de la nature avec mes sœurs, mes collègues de travail, les bénévoles et les hôtes que nous accueillons !

Chaque jour, le Seigneur me donne des frères et sœurs à rencontrer, à aimer. Les conflits et la violence qui déchirent notre monde traversent aussi mon cœur, mes relations. L'amour, la patience et la tendresse de Dieu et de mes sœurs me permettent d'accueillir le pardon et d'apprendre à pardonner, à reconnaître le visage du Christ en chacun, chacune de nous.

C'est ainsi qu'à travers la beauté de la louange, du témoignage et de la vie fraternelle se révèle un Dieu d'amour. Et avec un autre témoin, frère Christophe, moine martyr de Tibhirine, j'aimerais dire : «Je suis aimée… et cette certitude m'oblige au don afin que le monde sache qu'il est aimé d'amour.»

Silke

Oui ! Le Seigneur a mis son sceau sur mon engagement, et ne cessera jamais de m'accompagner en cette aventure à travers les hauts et les bas que la vie nous réserve toujours.

Et je crois que ma fidélité à l'engagement formulé un jour est toujours possible parce qu'elle repose sur la fidélité d'un Autre : je crois que ce bonheur est toujours possible parce qu'il repose sur l'amour et sur le désir d'un Autre !

Jean-Paul

Ce qui fait la joie de ma vie, c'est le contact permanent avec le Christ qui me donne cette joie et la grâce de vivre en communauté fraternelle. Cela me sort de moi-même pour aller à la rencontre des autres.

Albertine

Pour moi, ce qui me permet de vivre la vie consacrée, c'est tout d'abord la relation.

J'ai pu dire «oui» à l'appel de Dieu dans ma jeunesse et je peux redire encore «oui» à cet appel, parce que je me sens aimée par un Dieu tendre et miséricordieux. Cet amour me touche de maintes façons et me relie à ce Dieu trinitaire, si j'y suis attentive. La beauté de la création, un regard bienveillant, une parole de vie, une belle musique ou tant de personnes qui ont joué un rôle important dans ma vie et qui m'ont soutenue dans cette suite du Christ, surtout pendant les épreuves et les turbulences de la vie; oui, tout peut devenir parole de Dieu. Toute relation demande du temps et des occasions pour la maintenir et l'approfondir. C'est ainsi que la prière, l'Eucharistie, la lecture et la contemplation de la Parole de Dieu… sont pour moi des moments privilégiés qui me relient au Christ. Je peux me laisser «regarder et aimer par Lui». Il me fortifie, me fait sortir de moi-même et m'envoie, pour que je puisse, moi aussi, «aimer et servir» comme le dit saint Ignace de Loyola.

C'est ce que j'essaie de vivre dans ma mission actuelle en République démocratique du Congo auprès des filles en rupture familiale et ayant eu la rue comme maison: aimer et servir pour qu'elles aussi puissent découvrir qu'elles sont aimées et appelées à aimer, qu'elles aussi puissent se mettre debout et prendre leur vie en main pour témoigner de l'amour par lequel elles sont aimées. C'est alors que le Verbe peut se faire chair, pour humaniser notre monde.

Seigneur, n'arrête pas l'œuvre de tes mains.

Angela

Rencontrer, en particulier
par l'enseignement,
et créer des liens d'amitié,
c'est pour moi un cadeau
de Dieu qui fait la joie
de ma vie.

Anne-Françoise

«Dieu est Amour.»

Il y a cinquante-cinq ans, cette parole de Jésus a commencé à devenir plus concrète pour moi et au fond de mon cœur un appel s'est levé. Il a fallu du temps pour qu'une réponse devienne claire. Ma profession (auprès d'enfants) et mes activités de responsabilité dans l'action catholique auprès des jeunes, la découverte de la beauté de la nature: tout cela me comblait.

Avec d'autres jeunes, je me suis pourtant sentie appelée à faire un autre pas. Dans cette recherche, des prêtres et d'autres personnes m'ont aidée.

L'expérience que j'ai pu vivre en colonie de vacances avec une communauté religieuse m'a guidée dans mon choix de congrégation: j'ai découvert une vie de louange et la vie fraternelle en communauté faite de joies et de pardons: c'est là que le Seigneur m'appelait !

Laissant derrière moi ma famille, mon métier d'enseignante et mes activités intenses avec les jeunes, je suis partie vers une autre culture et une autre langue où j'ai découvert ce que la parole de Jésus «Dieu est Amour» voulait me dire.

Quelle a été ma surprise à la fin du noviciat d'être appelée dans l'apostolat auprès des handicapés, des enfants, des jeunes: le Seigneur me redonnait ce que j'avais laissé!

Ont suivi cinquante ans d'engagement dans la vie consacrée avec des activités et des responsabilités diverses à travers joies et peines où je découvre de plus en plus ce que veut dire que «Dieu est Amour», cette parole que le curé de ma paroisse m'a dite quand il m'a dit au revoir: «Dieu est Amour; celui qui demeure dans l'amour demeure en Dieu et Dieu demeure en lui.»

Je continue ma route avec Notre Seigneur, dans la confiance et la joie, car il nous a dit: «Je serai avec vous tous les jours, jusqu'à la fin du monde.»

Francisca

Une des caractéristiques de la vie religieuse, c'est la vie communautaire: nous ne nous choisissons pas, nous sommes réunies par une même volonté de suivre le Christ et de vivre selon son Évangile, au service de nos frères et sœurs.

Nous nous apprenons les unes aux autres à aimer, dans la patience, le support mutuel, l'acceptation des différences, les pardons donnés et reçus, le partage des joies et des peines, la confiance toujours renouvelée. C'est chaque jour que j'ai à choisir d'aimer à neuf les sœurs avec qui je vis. Et il n'est pas toujours facile d'aimer dans les petits détails du quotidien ! Mais nous n'avons pas d'échappatoire possible : car comment se retrouver plusieurs fois par jour pour la prière et durer dans les mesquineries, les rancunes ?

Comme religieuse, je me suis engagée publiquement à vivre d'une manière spécifique les conseils évangéliques de chasteté, pauvreté et obéissance, conseils qui sont adressés à tout baptisé par ailleurs.

Par le vœu de chasteté, je m'engage à vivre des relations qui me rendent libre et qui respectent les autres dans leur liberté ; à ouvrir mes bras à tous sans les refermer sur personne, à assumer joyeusement la part de solitude de ma vie, sans la fuir. Est-ce que Dieu me comble ? Non. Je dirais plutôt qu'il fait grandir en moi le désir d'être à Lui.

Le vœu de pauvreté se caractérise par la mise en commun des biens. Rien ne nous appartient en propre : nos salaires, les cadeaux et dons reçus appartiennent de droit à la communauté et nous demandons ce dont

nous avons besoin. Notre surplus sert à soutenir des provinces plus défavorisées. C'est une économie de solidarité qui aurait quelque chose à apprendre à la société d'aujourd'hui.

L'obéissance, ce n'est pas un esclavage, c'est le choix libre de se mettre à l'écoute du Seigneur qui nous parle par sa Parole, les évènements, les rencontres, c'est se laisser éclairer par ses sœurs, c'est chercher ensemble ce qui sert davantage la vie, et agir dans cette lumière sur un chemin de liberté.

C'est une vie passionnante, avec ses combats, ses rebondissements. Je ne sais pas assez aimer, mais je suis assez folle pour croire à la bonne nouvelle de Jésus qui m'aime telle que je suis et qui continue à m'appeler à sa suite. Choisir la vie religieuse, ça relève d'une histoire d'amour, d'une passion pour le Christ et pour l'être humain, et c'est source d'une joie profonde.

Anne-Marie

«Tout contribue au bien
de ceux qui aiment Dieu.»
Cette parole de saint Paul
m'aide à traverser
les épreuves de la vie.

Anne-Raymonde

Le 2 février, l'Église
se souvient de tous ceux
et celles qui ont consacré
leur vie au Seigneur.

On ne les rencontre plus beaucoup dans la rue. On se
souvient à peine de leur service. Autrefois, les religieuses soignaient les malades, instruisaient la jeunesse,

accueillaient les laissés-pour-compte. Aujourd'hui, elles sont retirées dans le silence, dans la prière. Non, elles ne sont pas absentes de la vie des hommes, elles les portent dans leur cœur quasi jour et nuit. Le pape François vous invite à un pèlerinage auprès de «ces sanctuaires que sont les maisons de repos des prêtres et des sœurs: de bons prêtres, de bonnes religieuses, qui ont vieilli avec le poids de la solitude, en attendant que le Seigneur vienne toquer à la porte de leur cœur. Ce sont de vrais sanctuaires de sainteté et d'apostolicité que nous avons dans l'Église. Ne les oublions pas! ... Je me demande si nous, les chrétiens, nous avons l'envie de faire une visite – qui sera un vrai pèlerinage – à ces sanctuaires de sainteté.»

Marie-Benedicta

Durant le deuxième mois de noviciat, je méditais sur cette phrase de l'Évangile:

«J'ai peiné toute la nuit sans rien prendre mais sur ton ordre, je jetterai encore une fois mes filets...»

Je fus alors comblée d'une grâce particulière: la présence aimante du Seigneur m'a envahie et depuis ce jour, elle ne m'a pas quittée (c'est le plus beau souvenir de ma vie consacrée).

Depuis ce jour, j'ai connu bien des souffrances: épreuves, maladies, etc., mais la présence du Seigneur en moi me remplit de son Amour.

Hélène

Je sais que le Christ m'a saisie et que «je cours» pour le saisir.

Je crois très fort que le premier «oui» de l'enfant en moi demeure le «bonheur» de tous les instants. C'est pour-quoi, je crois pouvoir dire que je suis très heureuse sur ce chemin de foi dans la vie consacrée, chemin d'ombres et de lumières, de péché et de miséricorde, car je sais à qui j'ai fait confiance. C'est enthousiasmant de porter ensemble cette grâce de la vie consacrée comme «don de l'Esprit saint fait à l'Église». Tout cela ne vient pas de nous, nous le recevons de la grâce de Dieu. Voilà ce que je dirais à un-e jeune qui s'intéresse à la vie consacrée.

Marguerite-Christiane

Le Seigneur nous a appelées et il continue d'appeler aujourd'hui des jeunes, filles et garçons.

Le contact avec une communauté religieuse peut leur permettre de trouver une réponse à leurs questions, de découvrir ce qu'est la vie religieuse: vie de foi, de générosité, avec ses joies, ses peines, ses souffrances même. Voir s'ils sont faits pour une vie communautaire. Entrer en contact avec la Pastorale des vocations, avec un prêtre pour discerner la véracité de l'appel du Christ. Faire une retraite. S'il répond à l'appel qui lui est fait, le jeune peut être sûr qu'il sera heureux, car c'est ce dont nous pouvons témoigner.

Une Franciscaine

Oui, c'est vrai, cette vie entraîne un grand sacrifice, mais pourtant ce qui pour moi est le plus fort et le plus important, ce n'est pas ce que j'ai quitté, mais ce que j'ai trouvé.

Une Clarisse

Le couvent,
je ne l'ai pas cherché !
Pourquoi l'aurais-je fait ?

Le monde conventuel m'était complètement inconnu et en dehors de mon univers. C'est plutôt le couvent qui m'a trouvé, lors d'une visite, dans un groupe de visiteurs. Certains trouvaient la découverte de ce monastère et la conversation avec le moine probablement intéressantes, d'autres, au contraire, éprouvaient peut-être de l'ennui. Pour moi, ce n'était ni l'un ni l'autre. Un sentiment m'étreignit, me disant : « Moi aussi, je veux devenir moine. » À ce moment-là, le moine, que je ne connaissais pas, m'apparut plus proche, plus familier que mes collègues. Après la visite du couvent, cette pensée m'effraya souvent et je la repoussai à plusieurs reprises, pendant plusieurs années. Du reste, il me fallait, chaque fois, toujours plus d'énergie pour l'écarter. Il fut évident pour moi que je devais, une fois pour toutes, me poser la question de devenir moine, oui ou non. Ce que je fis – la réponse fut sans équivoque et conduisit à l'entrée au couvent.

La vie consacrée est une aventure. Il faut du courage pour y entrer, sans savoir où cela conduit. Il s'agit sans cesse de se détacher de maints domaines d'investigation devenus agréables et appréciés, aussi par un moine au couvent. On doit pouvoir se laisser attirer par d'autres buts, afin que l'insaisissable, ou mieux: l'Insaisissable, avec une majuscule, vous saisisse et vous conduise. La vie consacrée est sérénité. La vie consacrée est liberté.

Daniel

Le jour où j'ai entendu
l'appel de Dieu, j'ai pleuré
de bonheur. Bonheur jamais
perdu à ce jour…

Marie-Paul

Consacrer ma vie au Christ,
c'est me laisser former
par Lui pour témoigner
de son Amour.

Marie-Luc

J'ai trouvé ma vocation en priant le Notre Père:

«Que ta volonté soit faite sur la terre comme au ciel.» Adolescent, je m'étais dit que Dieu savait sûrement mieux que moi ce qui était bon pour moi (et pour les autres). Pourtant je n'avais aucune envie de devenir prêtre... Mais j'ai fini par me rappeler que Dieu savait mieux, et voulait mon bonheur. Ensuite, j'ai découvert l'existence de la vie religieuse, et je suis devenu dominicain surtout pour vivre en communauté.

Eh bien, après des années et pas mal de changements, je peux dire que Dieu ne déçoit pas. La vie n'est pas toujours facile, mais rien ne peut nous séparer de l'amour du Christ, si nous acceptons d'y répondre. C'est beau d'être avec Dieu, et c'est aussi ainsi qu'on aide le mieux les autres!

Charles

Consacrer sa vie
à Jésus-Christ signifie
aimer et servir le Seigneur
et toute personne
que je rencontre par
la présence, l'attention,
l'écoute.

Francisca

Consacrer sa vie
à Jésus-Christ signifie
Le suivre d'une manière
radicale, Le suivre
pour Lui-même et pour
sa mission, dans l'amour
et la joie.

Marie-Carmela

Au fil des années, pour assumer le «terrible» quotidien, les soutiens extérieurs ne suffisaient plus, il fallait puiser dans la seule SOURCE vivifiante qu'est le Christ.

D'autant plus que des obstacles s'accumulaient tout au long du chemin. Me reste en mémoire la grave crise d'identité dans le secteur de la vie religieuse des années 1960-80, pendant laquelle plusieurs confrères quittèrent le bateau.

Comme avec les disciples d'Emmaüs, Jésus continuait de marcher à mes côtés, attentif à mes besoins et préoccupations. Sans Lui, comment aurais-je pu «négocier» les changements d'emplois et de lieux d'insertion ? Finis les déchirements, les regrets ou la nostalgie du passé.

En relisant mon parcours, les différentes étapes avec leurs inconnues, mes propres errements, je vois un fil rouge se dessiner : à chaque nouvel appel, c'est JÉSUS qui m'attendait, fidèle au rendez-vous.

François

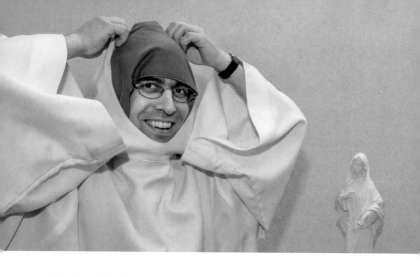

Si le Seigneur t'appelle, prépare-toi à marcher...

Au printemps 2014, notre supérieure générale m'a demandé de discerner un envoi en mission au Tchad. J'ai immédiatement senti sa requête rejoindre l'appel initial à la vie religieuse que j'avais perçu vers l'âge de 12 ans, à la lecture de la vie d'Anne-Marie Javouhey. Son témoignage de vie, son engagement auprès des plus démunis, notamment en France, au Sénégal et en Guyane m'avaient fascinée, bouleversée, émerveillée. J'avais admiré son courage et sa ténacité pour contribuer à l'abolition de l'esclavage. En effet, elle ne s'était pas contentée de soulager la misère, elle avait également travaillé à instaurer un ordre social plus conforme à l'Évangile.

Aussi, mon «oui» à la demande de la congrégation de rejoindre notre mission tchadienne fut immédiat. Bien que je n'y aie jamais songé, j'ai ressenti profondément que cet appel était celui du Christ, tant il avait la force irrésistible de l'aimant vers le fer, tant le dynamisme intérieur, la joie et la paix étaient présents au cœur de mon quotidien. Après un temps de prière et de discernement, j'ai confirmé mon «oui» à vouloir aimer et servir le Christ en terre tchadienne, bien que je sois consciente de tout l'inconnu qui s'ouvre à moi.

Josiane

Dans ma famille, on parlait le français et l'allemand.

J'étais la cinquième de huit enfants (quatre garçons et quatre filles). J'étais d'un caractère vif. À mon adolescence, je faisais partie d'un groupe de jeunes, mais je ne voulais pas être religieuse. Eh bien voilà... Ma sœur aînée, infirmière, était au couvent, elle était très heureuse et elle nous envoyait de belles lettres depuis le noviciat. L'hiver fut rigoureux, elle tomba malade d'une pneumonie. Les antibiotiques n'existaient pas encore et le neuvième jour de la maladie, elle mourut, à l'âge de 20 ans. L'enterrement a eu lieu au couvent. Dans mon village, le lundi de Pâques 1941, le prêtre de la paroisse a célébré une belle messe pour ma sœur. C'est durant cette messe qu'une voix intérieure me dit distinctement: «C'est toi qui la remplaceras.» J'avais alors 14 ans. J'ai suivi l'appel du Seigneur et je suis religieuse depuis soixante-quatre ans. J'ai enseigné quarante-cinq ans. Je n'ai jamais douté de ma vocation. Je suis encore très heureuse aujourd'hui.

C'est une grâce de vivre en communauté: la prière, l'oraison, la lecture de la Bible, la méditation, le service en Église, le service des pauvres, le contact avec ma famille m'aident à vivre en Dieu.

Candide

Oui, la joie de ma vie religieuse, c'est LUI le Christ.

Joie de LE découvrir présent en mes sœurs en communauté et en tous ceux et celles vers qui je suis envoyée. Je rends grâce: le mystère pascal que nous célébrons quotidiennement dans la liturgie, j'en fais l'expérience dans ma vie et celle de ma communauté. Qu'humblement ma vie puisse en témoigner!

Claire-Isabelle

Le 8 décembre 2013

(solennité de l'Immaculée Conception)

lors de la messe dominicale, en présence de mes sœurs vierges consacrées qui m'ont accueillie et accompagnée durant l'année, de ma famille, de mes ami-e-s et des paroissien-ne-s de Sainte-Thérèse,

j'ai émis le propos de virginité perpétuelle dans les mains de notre évêque et reçu de lui la consécration ! Magnificat !

Christine

Et toi, jeune, qui te poses
la question de la vie
consacrée, n'aie pas peur
de dire un oui généreux,
car il y a plus de joie
à donner qu'à recevoir !
Dieu veut ton bonheur !

Cécilia

« Viens, suis-moi ! »
Joie et gratitude d'être
appelée par le Christ
à poursuivre la mission
éducative de notre fondatrice,
au service de la croissance
de chacun.

Josiane

J'ai ressenti cet appel à suivre le Christ à travers le scoutisme et la montagne:

un besoin d'absolu et en même temps un immense désir d'aller en terre de mission.

J'ai trouvé au Carmel Saint-Joseph la spiritualité carmélitaine avec l'enseignement de ses grands saints, Thérèse d'Avila, Jean de la Croix, Thérèse de Lisieux et d'autres. L'Ordre du Carmel n'a pas de fondateur, mais ses origines remontent à l'Ancien Testament avec le prophète Élie qui est l'image de notre vocation.

La vie au Carmel est un chemin à la suite du Christ et on s'y engage en gardant les yeux fixés sur Lui. C'est à Madagascar, dans un des pays les plus pauvres du monde, que Jésus m'a donné la joie de partager son amour avec mes frères.

Regina

C'est l'appel que j'ai reçu
qui me permet de vivre
ma vie consacrée.
Ce jour-là, un grand feu
s'est allumé dans mon cœur
et il ne s'est jamais éteint.

David

Ce qui me tient éveillée aujourd'hui comme aux premiers jours, ce qui me nourrit, me console et me réjouit, c'est tout à la fois la Parole de Dieu si neuve et si surprenante,

le désir profond de faire connaître et aimer Jésus-Christ, la joie de chanter et de me plonger quotidiennement dans la grande prière de l'Église, les heures de prière et de solitude, comme les liens tissés ou la grâce des rencontres fortuites…

Adrienne

«Et moi je suis au milieu de vous comme celui qui sert!»

Une vie consacrée, qu'est-ce que c'est? C'est la vie qui, à la suite d'un appel de Dieu, laisse l'Esprit saint la modeler, la conduire pour être totalement au service du Royaume. Ça ne va pas de soi, comme avec un pilote automatique, on enclenche un bouton et hop... ça marche. Non. C'est un long cheminement, un compagnonnage de Dieu avec nous, c'est une amitié. Dieu n'annule rien de ce que nous sommes mais il veut faire avec ce que nous sommes. Il veut nous aider à devenir ses vrais enfants, pour que nous mettions notre amour, nos forces, nos capacités au service de l'Amour de lui et des autres.

Originaire de Roumanie, je vis en Suisse depuis treize ans. Après avoir vécu deux ans comme laïque dans la mission des Sœurs au Togo, je suis entrée dans la

Congrégation des Sœurs de Saint-Augustin en 2001, à l'âge de 32 ans, pour l'évangélisation par les mass-médias. Ma vocation à la vie consacrée date de 1986, durant les années de communisme. J'avais à l'époque presque 18 ans et j'ai senti la brise légère de la grâce de Dieu qui a commencé à mettre son empreinte sur moi. C'était les années dures de la dictature. Je voyais ma vie comme une offrande de prière, de charité, mais beaucoup en silence, en secret, car le régime communiste n'acceptait pas cela et était impitoyable. J'avais peur, mais je savais que le Seigneur est là. Donc la dimension communautaire était fort intériorisée et moins extériorisée.

En entrant dans la vie religieuse, j'ai compris que la vie communautaire est capitale. Donc pour moi chaque jour, c'est une école de vie, de service, d'appel pour qu'ensemble nous soyons le peuple de Dieu.

Un autre aspect important, c'est le fait de ne pas bien savoir la langue, de ne pas avoir ses études reconnues, de ne pas avoir tous les droits comme tout Suisse, etc.

Cette situation m'a faite solidaire de tout immigré du monde et m'a aidée dans l'offrande de moi pour me mettre au service de l'autre. L'accent est mis sur la personne et pas sur ce qui est accessoire. Cette phrase de Jésus: «Je suis au milieu de vous comme celui qui sert» me touche et me donne la force d'avancer sur ce chemin.

Gabriela

Un matin, j'ai pensé à me rendre à Lourdes en touriste.

Quand je suis arrivée à la grotte de Massabielle, il régnait un grand silence.

Je me suis arrêtée longtemps à regarder la Vierge, puis je me souviens : j'ai fermé les yeux et cela a été comme un éclair, j'ai compris que la vie nous a été donnée pour que nous la donnions à notre tour. Ce fut un choc !

Après mûre réflexion et quand je me suis sentie vraiment sûre de ma vocation, j'ai dû encore attendre une bonne occasion pour parler à mes parents de ma décision. Eux, ils pensaient que je n'en serais jamais capable, connaissant mon tempérament, et ils m'ont dit de continuer ma vie de toujours : faire des voyages, pratiquer du sport, enfin laisser passer le temps pour m'assurer encore de mon choix.

C'est ce que j'ai fait, mais après une année de réflexion, mes parents ont fini par accepter ma décision.

Plus tard ils en ont même éprouvé du vrai bonheur...
Je suis entrée chez les Sœurs Marcellines. Au pension-
nat, où j'ai vu passer des enfants d'une centaine de na-
tionalités différentes, j'ai pu réaliser mon idéal de vie:
enseigner le français et par la même occasion transmettre la foi chrétienne auprès d'élèves venant du monde
entier.

Hélène

Notre Fondatrice,
Anne-Marie Javouhey,
attachait du prix au don
de son baptême,
(11 novembre 1779,
lendemain de sa naissance).

Pendant la Révolution française, en 1798, ce fut la date du 11 novembre qu'elle choisit pour consacrer sa vie à Dieu en présence de ses parents et de ses proches, affermissant sa conviction que sa consécration religieuse exprimait plus pleinement sa consécration baptismale.

Dominique

J'ai eu la joie de travailler une bonne partie de ma vie comme assistante pastorale dans plusieurs paroisses, et de pouvoir ainsi annoncer Jésus-Christ de diverses manières, en recevant d'ailleurs beaucoup plus que je ne donnais.

Aujourd'hui, cinquante ans plus tard, je remercie encore le Seigneur pour cet appel où j'ai trouvé ma joie, mon épanouissement et aussi ma force dans les épreuves inévitables de la vie, et cela grâce surtout à la prière personnelle et communautaire et à l'accueil fraternel de mes sœurs, au soutien affectueux de ma famille et à beaucoup de bienveillance témoignée par les communautés paroissiales où j'ai œuvré.

Francine

Durant ma vie, j'ai essayé de regarder les épreuves, les souffrances comme un appel de Dieu à la foi, à la confiance.

Marie-Stanislas

Depuis mon enfance, j'ai appris par ma mère la manière de vivre avec Dieu.

Mon père étant anticlérical, on ne pouvait imaginer une prière dans la maison… mais chaque matin, après m'avoir embrassé, ma mère me disait dans le creux de l'oreille: «Tu n'oublieras pas d'offrir ta journée au Bon Dieu.» Cette merveille de simplicité m'a toujours accompagné et j'ai souvent pu l'évoquer ou la partager.

Jean-Paul

Après avoir vécu plus de cinquante ans dans l'Ordre dominicain, je m'aperçois plus clairement du rapport intime entre la vie consacrée et l'Église.

Que serait l'Église sans communautés de vie consacrée, sans monastères, sans couvents, sans fraternités ? J'ai été très frappé par Taizé et Grandchamp près de Neuchâtel. La réforme avait supprimé au 16e siècle la vie consacrée, et voilà que, presque spontanément, des communautés surgissent au sein même d'Églises protestantes. Le Frère Roger Schutz et Sœur Minke ont senti que l'Église n'est pas l'Église si elle ne compte pas parmi ses fidèles des personnes plus spécialement consacrées au Seigneur.

L'histoire de l'Église serait toute différente si elle n'avait pas à raconter ce qu'avaient fait et vécu les pères du désert dès le 3e siècle (parmi lesquels il y avait aussi des femmes pratiquant la vie érémitique !), les moines défricheurs et savants dans les innombrables abbayes bénédictines, cisterciennes et de nombreuses autres familles monastiques, les communautés de prêtres au service des diocèses qu'on appelle chanoines, les très nombreuses congrégations de religieuses servant les pauvres, les malades, les vieux, les lépreux, les enfants, etc. Il faut penser de même aux jésuites et aux sociétés de prêtres et de missionnaires de l'époque moderne : quelle immense œuvre n'ont-ils pas accompli pour le bien de la foi dans le monde ! Si on imaginait que l'Église n'ait pas bénéficié de l'apport des femmes consacrées dans les communautés religieuses, dans les cinq continents, des pans entiers de l'histoire de l'Église devraient être rayés. L'apport des Ordres mendiants en Europe et dans les pays de mission à travers les siècles est incalculable.

Vivre la vie consacrée signifie donc suivre Jésus, être son disciple et édifier l'Église. Cela nous fait prendre conscience de la tragédie qu'est la vie consacrée corrompue par le vice et les abus de personnes sans défense, des faits qui ont fait l'actualité dans les médias, ces dernières années. N'oublions pourtant pas que ce sont des exceptions dans une histoire immense de dévouement désintéressé.

Adrian

Un cadeau

Tu pensais vivre un face à face avec le Seigneur
quelque chose d'extraordinaire
ce sont des sœurs et des frères
qui t'attendent au coin de la rue
dans ta classe ou en communauté
qui guettent ton attention joyeuse.
Tu croyais qu'un feu brûlerait ton cœur
que la route claire s'ouvrirait devant toi
et c'est un chemin discret que tes pas ont marqué
où l'amour de Dieu et de sa création ne font qu'un.
Tu voulais donner, agir et entraîner
tes mains se sont ouvertes pour recevoir
et tes yeux se sont posés tout près
Éternité déjà ébauchée.
Chaque jour un nouveau cadeau !

Anne-Françoise

HYMNE D'ACTION DE GRÂCE

Jean Vanier

Quand j'entends les horreurs de la guerre, les violences et les génocides, je rends grâce

pour ces moines et ces moniales qui chantent dans le silence de la nuit la gloire du Dieu de la Paix.

Quand je suis dans les rues de Calcutta ou de Paris, je rends grâce en voyant des frères et des sœurs Missionnaires de la Charité, proches des gens les plus exclus.

Quand je suis dans un train bondé de gens fatigués de leur journée de travail, je rends grâce pour ces sœurs qui paisiblement et joyeusement lisent l'office du jour.

Quand je suis dans un quartier violent de Chicago, je rends grâce pour une petite fraternité de sœurs qui y vivent et témoignent de la bonne nouvelle de Jésus.

Quand je vois dans les rues de Paris des femmes vendant leurs corps et les personnes sans domicile fixe, je rends grâce pour ces gens consacrés qui les rencontrent pour leur révéler la vraie Vie.

Quand je visite une prison, je rends grâce pour les prêtres et les personnes consacrées qui prennent le temps pour écouter et soutenir les détenus.

Je me réjouis

de la présence de ces hommes et de ces femmes consacrés qui nous rappellent que nous sommes tous consacrés à Dieu par le baptême.

Ils nous révèlent d'une façon visible une présence de Jésus doux et humble de cœur, dans notre monde si blessé par le péché, les violences, l'apathie, la haine, les peurs et l'indifférence.

Légendes photographies

À l'exception des pages 8, 172 et 218, les photographies
de ce livre ne sont pas en lien avec le texte qui les entoure.

Remerciements

L'Association Édition «La Vie Consacrée»
remercie toutes les personnes consacrées
qui ont donné leur témoignage.

L'Association tient à remercier:

• Mgr Guillermo Karcher, Cité du Vatican

• Hubert et Isabelle d'Ornano, Paris

• Jean-Daniel Pitteloud, Rome

ainsi que tous les donateurs.

La totalité des témoignages avec les précisions
d'appartenance peut être lue sur le site:

www.vieconsacree.com

Paroles du Pape (page 9), extraites de RÉJOUISSEZ-VOUS,
Libreria Editrice Vaticana, 2014.

Le titre «Aimer, c'est tout donner» est tiré d'une poésie
de sainte Thérèse de l'Enfant-Jésus et de la Sainte-Face.

Nous remercions le pape François pour le soutien actif qu'il a apporté à ce livre, édité à l'occasion de l'Année de la vie consacrée.

Impressum

Responsable de publication: Association Édition «La Vie Consacrée»

Photographies: Jean-Claude Gadmer (sauf page 88)

Dessins: © Guézou

Dos de couverture: Servizio Fotografico «L'Osservatore Romano»

Graphisme: Sophie Toscanelli, www.ledesigndesophie.ch

Photolithographie: Corrado Luvisotto, Reynald Mariéthoz, www.grafix.ch

Achevé d'imprimer en mars 2015
sur les presses de l'imprimerie Marquis, Montmagny, Québec, Canada

Dépôt légal: mars 2015
Bibliothèque et Archives nationales du Québec
et Bibliothèque et Archives Canada, 2015

IMPRIMÉ AU CANADA

1re édition internationale
Parution: français, allemand, italien, anglais, espagnol, polonais, portugais, arabe, chinois